L'île aux dragons

© Hachette Livre, 2008, pour la présente édition.
Novélisation : Sophie Marvaud
Conception graphique du roman : François Hacker

Hachette Livre, 43, quai de Grenelle, 75015 Paris.

L'île aux dragons

Bloom

C'est moi, Bloom, qui te raconte les aventures des Winx. À l'université d'Alféa où je poursuis mon apprentissage de fée, j'ai découvert peu à peu ma véritable identité. Je suis la fille du roi et de la reine de la planète Domino, qui a été détruite par les ancêtres des Trix. Je n'étais alors qu'un bébé. C'est ma sœur aînée, la nymphe Daphnée, qui m'a sauvée. Elle a trouvé sur Terre des parents adoptifs aimants à qui me confier. Aujourd'hui, je possède le formidable pouvoir de la flamme du dragon, convoité par les forces du mal. Alors je suis en première ligne pour défendre la dimension magique et ses différentes planètes. Heureusement que je peux compter sur mes amies fidèles et solidaires : les Winx !

La mini-fée Lockette est ma connexion parfaite. Chargée de me protéger, elle a une totale confiance en moi, ce qui m'aide à devenir meilleure.

Kiko est mon lapin apprivoisé. Il n'a aucun pouvoir magique et pourtant, je l'adore.

Stella

Originaire de la planète Solaria,
la fée de la lune et du soleil a une très
grande confiance en elle. Un peu trop,
parfois ! Et puis, elle attache tant
d'importance à son apparence…
Heureusement qu'elle est aussi
vive que drôle .

Amore est sa connexion
parfaite.

fJora

Fée de la nature, douce et
généreuse, elle est à l'écoute des
plantes et elle sait leur parler.
Cela nous sort de nombreux mauvais
pas ! Dommage qu'elle manque
parfois de confiance en elle.

Chatta
est sa connexion
parfaite.

Tecna

Digit
est sa connexion
parfaite.

Directe
et droite, elle est d'une grande
débrouillardise. Normal, elle est la
fée des sciences et des inventions.
Elle maîtrise toutes les technologies,
auxquelles elle ajoute un zest de magie.

Tune
est sa connexion
parfaite.

musa

Orpheline, la fée de la musique est
très sensible et pleine d'imagination.
Face au danger, sa musique devient
parfois une arme !

Layla. Venue de la planète Andros, la fée des sports est particulièrement courageuse. Dernière arrivée dans le groupe des Winx, elle a eu du mal à y trouver sa place. Peut-être parce qu'elle se vexe facilement. Aujourd'hui, pourtant, nous ne pourrions plus imaginer le groupe sans elle !

Piff est sa connexion parfaite.

L'université des fées est dirigée par l'adorable Mme Faragonda.

Rigide et autoritaire, Griselda est la surveillante de l'école.

Au royaume de Magix, un lieu hors du temps et de l'espace, la magie est quelque chose de normal. En plus d'Alféa, d'autres écoles s'y trouvent : la Fontaine rouge des Spécialistes, la Tour Nuage des Sorcières, le cours de sorcellerie Bêta.

Saladin est le directeur de la Fontaine Rouge. Sa sagesse est comparable à celle de Mme Faragonda.

Ah ! les garçons de la Fontaine Rouge… Sans eux, la vie serait beaucoup moins intéressante. Nous craquons pour eux parce qu'ils sont charmants, généreux, dynamiques… Dommage qu'ils aient tout le temps besoin de se sentir importants et plus forts que les autres.

Prince Sky. Droit et honnête, l'héritier du royaume d'Éraklyon sait mieux que personne recréer un esprit d'équipe chez les garçons. Son amour me donne confiance et m'aide à triompher des pires obstacles.

Brandon est aussi charmant que dynamique et spontané. Pas étonnant que Stella craque pour lui.

Riven apprend à maîtriser son impulsivité et son orgueil. Il voit beaucoup moins la vie en noir depuis que Musa s'intéresse à lui.

Timmy est un jeune homme astucieux qui se passionne pour la technique. Avec Tecna, forcément, ils se comprennent au quart de tour.

Hélia est un artiste plein de sensibilité. Flora n'en revient pas, qu'un garçon pareil puisse exister.

Convoité par les forces du mal, Magix est le lieu d'affrontements terribles.

Valtor est un sorcier extrêmement puissant. D'autant plus qu'il cache son caractère cruel et malfaisant sous une apparence charmante. Son tour préféré : transformer en monstre toute personne qui s'oppose à lui. Ensuite, soit le monstre sombre dans le désespoir, soit il devient son esclave.

Les Trix ont été élèves à la Tour Nuage. Mais toujours à la recherche de plus de pouvoirs, elles ont fini par arrêter leurs études de sorcellerie. Elles préfèrent s'allier avec les forces du mal. Elles nous détestent, nous les Winx.

Icy, qui est à la fois l'aînée des Trix et leur chef, a pour armes préférées les cristaux de glace, le blizzard, les icebergs.

Stormy sait déclencher tornades et tempêtes.

Darcy utilise des sortilèges mentaux : elle crée des illusions de toutes sortes qui peuvent rendre fou.

Mme Griffin est la directrice de la Tour Nuage, l'école des sorcières. Mme Faragonda semble lui faire confiance. Mais je me demande si ce n'est pas une erreur…

Valtor est en train de voler les sortilèges de toutes les planètes ! C'est aussi à cause de lui que Tecna est morte en refermant le portail d'Andros. Et en plus, il s'est vanté auprès de moi d'avoir tué mes parents !

Il faut à tout prix débarrasser Magix du sorcier. Mais même tous ensemble, Winx et Compagnons de la Lumière, nous n'avons pas assez de pouvoirs pour le vaincre. Selon Mme Faragonda, il existerait bien un moyen d'augmenter mes pouvoirs : me rendre seule dans l'île aux dragons, sur la dangereuse planète Pyros.

Chapitre 1

Une île terrifiante

Tout autour de moi, des volcans entrent en éruption. Les roches explosent, la lave brûlante s'en écoule, et des nuages de cendres assombrissent le ciel.

J'ai à peine le temps de découvrir le paysage que, déjà, un

gigantesque dragon rayé me fonce dessus, toutes ailes déployées.

Il a bien l'intention de faire de moi son petit déjeuner, comme le montrent ses griffes sorties et sa grande gueule ouverte.

Mais il ne sait pas à qui il a affaire ! Je concentre mes pouvoirs, je les lance sur lui avec force, et je l'envoie rouler au loin !

Très contente de moi, je me dis qu'au moins, je ne me suis pas trompée de destination : je suis bien sur Pyros, dans l'île aux dragons.

Et d'ailleurs, en voilà trois autres tout aussi énormes et musclés qui se dressent devant moi. Cette fois, je dois m'envoler pour leur échapper !

Hélas ! Eux aussi ont des ailes. Et les voilà qui me pourchassent dans les airs !

Apercevant un lac, j'ai l'idée d'y plonger. Très surpris, les dragons semblent se demander où je suis passée...

Un seul pense plonger à son tour. Au fond de l'eau, je lui lance un nouveau sortilège. Il est projeté sur la rive, ce qui me permet de sortir tranquillement de l'autre côté.

Ouf ! Fatiguant, cette petite bataille.

D'autant plus qu'un des dragons m'aperçoit. Je n'ai plus assez d'énergie pour riposter, et je me mets à courir dans la forêt.

Tournant la tête pour voir si

j'ai réussi à le semer, je tombe brusquement dans le vide !

— Au secours !

Mais sur cette planète terrifiante, je suis certaine d'être complètement seule. Personne ne m'aidera !

Et je tombe, je tombe sans fin...

Chapitre 2

Ce que Bloom ne sait pas

Valtor a conservé son repaire à la Tour Nuage. Il y prépare ses mauvais coups, entouré des Trix. Pourtant, le dernier assaut des Winx a été rude : elles ont même réussi à délivrer Mme Griffin.

— Je suis fatigué, se plaint le

sorcier. Je ne parviens plus à me concentrer.

Darcy s'approche de lui, et lui caresse l'épaule.

— Devenir le plus grand sorcier de tous les temps, c'est épuisant ! Pourquoi ne vas-tu pas voler les secrets d'une autre planète ? Ça te détendrait !

Il se tourne vers elle et la regarde avec son beau sourire charmeur.

— Toi seule sais me comprendre, Darcy.

Derrière eux, Icy et Stormy serrent les poings, folles de jalousie !

Pendant ce temps, à l'école de la Fontaine Rouge, c'est un Timmy enthousiaste qui rejoint dans leur chambre ses amis Sky, Riven et Brandon. Il tient dans les mains une étrange machine, une sorte d'écharpe métallique

prolongée par un gant, tous deux reliés à de nombreux capteurs.

— J'ai la solution ! Je sais comment retrouver Tecna !

Les autres Spécialistes sont plutôt dubitatifs. Brandon pousse un gros soupir, Riven fronce les sourcils, Sky pose sa main sur l'épaule de Timmy avec amitié. Mais celui-ci ne se laisse pas décourager :

— J'ai optimisé un localisateur satellite et je l'ai connecté à un détecteur d'émotion !

— Les professeurs se font du

souci pour toi, Timmy, explique Sky.

— Je vais très bien ! J'ai la certitude que Tecna est vivante et qu'elle cherche à entrer en contact avec nous.

Ses amis échangent des regards consternés.

— J'ai besoin de votre aide, poursuit-il. Pour que le détecteur fonctionne, je dois décrire la nature émotionnelle de Tecna.

Riven se lève :

— Euh... Excuse-moi, Timmy. Je dois réviser mon examen de sauveteur confirmé.

— Et moi, je vais rejoindre l'étude, soupire Brandon. Hier soir, je n'ai pas respecté le couvre-feu pour rester avec Stella et j'ai été puni.

Mais Timmy semble tellement déçu que Sky s'empresse d'ajouter :

— Moi, je vais t'aider.

À nouveau tout heureux, Timmy installe l'écharpe sur lui, de manière à ce que les pans retombent sur son cœur. Il enfile le gant. Puis, avec des câbles, il relie l'ordinateur au gant et à l'écharpe. Il explique à Sky :

— J'ai déjà téléchargé cette photo de Tecna. Comme ça, le localisateur sait à quoi elle ressemble. Maintenant, je dois décrire son caractère.

— Très bien, dit Sky. Vas-y.

Encouragé, Timmy commence à parler au localisateur :

— Le quotient intellectuel de Tecna est de 150. Elle est très calée en mathématiques et en statistiques. Elle est membre de la Société de Technologie Magique.

Face à lui, l'écran ne semble pas réagir.

— Ah, ça ne marche pas !
s'écrie Timmy.

— Hum... Tu ne crois pas qu'il
faudrait mettre plus d'émotion
dans ce portrait ?

— Tu as raison. Euh... Tecna
est une fille très sympathique.
C'est mon amie.

— C'est mieux, dit Sky. Mais je pense que tu devrais exprimer des sentiments plus profonds.

— Comment veux-tu que je fasse ! s'exclame Timmy.

— Attends... J'ai une idée. Demandons un coup de main à des personnes qui savent très bien exprimer leurs émotions !

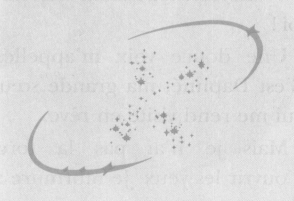

Chapitre 3

Un dragon pas comme les autres

— Réveille-toi, Bloom ! Réveille-toi !

Une douce voix m'appelle... C'est Daphné, ma grande sœur, qui me rend visite en rêve.

Mais je n'ai pas la force d'ouvrir les yeux. Je murmure :

— Je suis là pour devenir plus forte. Et je ne sais pas comment faire...

— Il faut que tu cherches le dragon, dit Daphné derrière son masque doré.

— Quel dragon ?

— Celui qui est en toi, Bloom...

Je ne comprends pas ce qu'elle veut dire. Mais elle disparaît et je finis par ouvrir les yeux et me relever.

Je suis au fond d'un gouffre, où poussent d'énormes champignons. Contrairement à ce que je pensais, je ne me suis pas bri-

sée en mille morceaux. Étrange... Daphné m'aurait-elle protégée, comme elle le fait souvent ?

— Bonjour !

Je pousse un cri. Mais celui qui me parle est un tout petit dragon vert à l'air sympathique, qui vole à ma hauteur.

— Euh... Bonjour. Qui es-tu ?

— Je m'appelle Buddy.

— Moi, c'est Bloom.

— Qu'est-ce que tu es venue faire à Pyros, Bloom ?

— Augmenter mes pouvoirs. Je suis une fée.

— Et comment vas-tu t'y prendre ?

— Je n'en sais rien ! Est-ce que tu aurais une idée pour m'aider à sortir d'ici ?

Buddy me guide dans le gouffre, jusqu'à une faille qui me conduit dans une vallée.

Ouf ! Ça fait du bien de revoir la lumière du jour.

Soudain, je remarque que le petit dragon vert a l'air tout triste.

— Qu'est-ce qui t'arrive, Buddy ?

— J'ai été séparé de mes parents. Je voudrais rentrer chez moi mais, tout seul, j'ai peur. Il y a beaucoup de dragons féroces dans le coin.

Je le prends dans mes bras.

— Allons, ne pleure pas. Je vais t'accompagner.

— C'est vrai ? Oh, merci, Bloom !

— Et c'est où, chez toi ?

— Près du torrent de lave en fusion, là-bas.

Nous traversons une forêt tropicale. Des dragons volent loin au-dessus de nous mais la végéta-

tion touffue nous dissimule à leur regard.

Pour me donner du courage, j'affirme à voix haute :

— Un jour, je serai plus forte qu'un dragon !

— Pour ça, fait remarquer

Buddy, il faut être un dragon soi-même et savoir cracher des flammes.

Je le regarde avec surprise.

— Et comment je ferais pour devenir un dragon ?

— C'est facile ! Il suffit de m'imiter !

— D'accord.

Il saute sur le sol.

— Premièrement : marche comme moi. Pas comme si tu te promenais !

Redressant le menton, il avance d'un pas ferme et régulier, en gonflant les minuscules muscles de ses bras.

— Vas-y, Bloom ! La tête haute ! Sois déterminée ! Montre à tous ces dragons qui commande ici !

Réprimant un fou rire, je fais comme si j'étais sûre d'être plus forte que tous les dragons réunis. Et justement, en voilà trois qui se reposent dans une clairière. Je marche vers eux avec détermination, en agitant les bras, l'air féroce.

À ma grande surprise, ils prennent peur et s'enfuient ! Vraiment, Buddy est un excellent professeur !

Chapitre 4

Ce que Bloom ne sait pas

Timmy est rejoint devant sa machine par Stella, Flora, Musa et Layla. Elles sont tout à fait d'accord pour le bombarder de questions.

— Comment tu te sens quand tu es avec Tecna ? lui demande Flora.

— Je me sens bien.

— Qu'est-ce qui te plaît chez elle ? l'interroge Layla.

— Eh bien... En fait, tout.

— Mais quoi, en particulier ?

— Concentre-toi sur un souvenir que tu as de Tecna, suggère Stella.

— Ferme les yeux, lui recommande Musa. Et imagine qu'elle se trouve en face de toi.

Après un silence, Timmy se met à dire tout ce qui lui traverse l'esprit :

— C'est difficile, il y a tellement de choses... J'aime qu'elle arrive à faire n'importe quel calcul mental... J'aime qu'elle me batte à tous les jeux vidéo sans jamais être désolée... J'aime qu'elle éclate de rire à mes blagues, même quand elles ne sont pas très drôles...

— Elle doit vraiment craquer

pour toi ! s'exclame Musa avec affection.

— Je l'espère, poursuit rêveusement Timmy. En plus d'être ma petite amie, elle est ma meilleure amie.

Layla a un large sourire.

— Au fond, tu ne serais pas amoureux d'elle ?

— Raide dingue amoureux d'elle, avoue Timmy, qui retient un sanglot.

Aussitôt, un grand frisson parcourt l'écran.

— Timmy, tu as réussi ! s'écrie Musa.

Le Spécialiste ouvre les yeux.

— Hourra ! Ma machine marche !

Au même moment, Valtor arrive sur la planète Zen. C'est un endroit merveilleusement relaxant, où les paysages sont

fleuris et reposants. Partout de magnifiques fontaines ornent les jardins.

À l'intérieur d'un pavillon baigné de lumière, il aperçoit une jeune femme vêtue d'une cape à pois jaunes et orange. Par la seule force de sa pensée, elle réussit à déplacer une table basse et un service à thé, qu'elle pose à côté d'une chaise longue très confortable.

Devant le bâtiment, un jeune homme étendu dans l'herbe savoure l'air tiède, le vent, et le chant des oiseaux.

Valtor contourne le pavillon et

arrive devant un très joli bassin.
Au bruit de l'eau qui jaillit d'une
fontaine, se mêle la musique de
petites plaques métalliques sus-
pendues dans le vent.

— C'est ici que se trouve la
source de toute leur magie,
ricane Valtor.

Le bassin est gardé par quatre chimpanzés bleus qui méditent, accroupis à quelques centimètres au-dessus du sol.

D'un sort, Valtor projette l'un des chimpanzés dans la fontaine. Aussitôt, les autres sortent leur épée et l'attaquent. Le sorcier lance sa cape sur un chimpanzé, envoie sa magie sur les deux autres, et réussit à tous les arrêter. Ensuite, il tend la main vers les plaques métalliques et celles-ci lui renvoient leurs pouvoirs.

Aussitôt, la fontaine cesse de couler, et le bassin explose. Dans le pavillon, la jeune femme se dresse d'un bond et jette au sol sa tasse de thé, qui se brise. Sur la pelouse, le jeune homme tend son poing vers les oiseaux :

— C'est pas bientôt fini, ce tintamarre ?

Valtor ricane : plus personne n'est détendu sur la planète Zen !

Chapitre 5

Comment devenir un dragon

— Bravo, Bloom ! Tu marches comme un vrai dragon. Et maintenant, tu dois manger comme un dragon.

— Quoi ?

Buddy me désigne d'énormes larves de moustique. D'un grand

coup de langue, le petit dragon
en attrape une, la mastique et
l'avale.

— Fais comme moi.

— Mais c'est dégoûtant !

— Tu as envie de devenir un
dragon ?

Je pousse un gros soupir.

— Oui. Mais je ne peux pas
avoir le choix du menu ?

— Bon, d'accord. Les dragons
se régalent aussi avec le fruit des
aubépines de Pyros, une espèce
particulière.

Buddy plonge le bras dans un épais buisson épineux. Lorsqu'il le ressort, sa main est parsemée d'épines. Il les retire une à une, puis me montre ce qu'il a attrapé : plusieurs fruits de la taille d'une cerise.

— À toi, maintenant.

— Euh... Finalement, je me demande si je ne préfère pas les larves de moustiques...

— Trop tard. Allons, Bloom ! Tu veux devenir un dragon, oui ou non ?

— Oui !

Déterminée, je plonge à mon tour le bras dans le buisson épineux. Je sens d'innombrables épines me transpercer la peau. Mais je serre les dents et je réussis à attraper les petits fruits ronds.

— Formidable, applaudit Buddy. Tu marches comme un dragon, tu manges comme un dragon, il ne te reste plus qu'à rugir comme un dragon.

Serrant les poings, levant le menton, Buddy se met à rugir avec une force incroyable pour sa petite taille. Puis il se tourne vers moi :

— À ton tour. Le truc, c'est qu'il faut le sentir. C'est quelque

part au fond de toi, Bloom ! Ça
vient du même endroit que rire,
pleurer, crier. Tu le sens ?

— Je crois.

Je laisse échapper un cri, qui
déraille aussitôt.

— Plutôt raté !

— Ne t'inquiète pas. Bien rugir est difficile. Il faut de l'entraînement.

— Bon. Alors, je vais continuer à m'entraîner.

À force de me concentrer et d'être à l'écoute de ce que je ressens, je finis par rugir d'une manière tout à fait convenable pour un dragon ! Buddy est très fier de moi.

Nous apercevons maintenant le torrent de lave en fusion, derrière lequel se trouve le nid de Buddy. Nous grimpons sur une colline rocheuse, quand, soudain, celle-ci se met à trembler.

— Nous sommes sur le dos du dragon de la montagne ! s'écrie Buddy. L'un des plus terribles de Pyros !

Nous nous immobilisons. Mais le dragon reste couché, la tête entre ses pattes.

— J'ai l'impression qu'il fait une petite sieste, dit Buddy. Si nous sommes très discrets, il ne se réveillera pas.

À pas de loup, nous poursuivons notre marche. Le dos du dragon est très accidenté et ses écailles sont aussi dures que des rochers.

Nous nous débrouillons plutôt bien... jusqu'à ce que je heurte une écaille du pied et que je tombe !

Aussitôt, le dragon se redresse, furieux d'avoir été réveillé. D'un coup de son énorme queue, il me jette à terre. Puis il approche

son énorme patte griffue de Buddy...

— Au secours, Bloom ! hurle mon nouvel ami Je ne veux pas qu'il me mange !

La prêtresse Maya

Déployant mes ailes de fée, je vole au secours de Buddy. Mais d'un coup de griffe, le dragon de la montagne me lance dans une mare de boue.

Heureusement, il ne semble pas avoir très faim. Avant d'avaler le tout petit dragon vert, il le contemple avec curiosité. Puis il décide de l'emporter dans son nid, peut-être pour le donner à ses enfants. En tout cas, j'ai le temps de ressortir de la mare.

Hélas, mes ailes sont trop lourdes de boue pour que je reprenne mon envol.

— Sois un dragon, Bloom ! me crie Buddy.

Il a raison. Je me concentre sur la colère qui bouillonne en moi. Je la sens grandir, m'envahir toute entière et renforcer mon pouvoir de la flamme du dragon. Alors je fonce sans peur vers le monstre et je rugis aussi fort que je peux.

De saisissement, le dragon de la montagne lâche Buddy. Et il file se cacher plus loin pour se rendormir !

Je prends dans mes mains le petit dragon vert.

— Tu y es arrivée, Bloom ! me dit-il avec admiration.

C'est vrai. J'en ris de bonheur et de soulagement.

Nous volons au-delà du torrent de lave en fusion. Je suis toute surprise : l'endroit est désertique, sans aucun nid à l'horizon.

— Mais Buddy, je croyais que c'était chez toi !

Le petit dragon me regarde, espiègle :

— Chez moi, c'est là où tu es.

Je suis ton dragon, Bloom. Je suis la force qu'il y a à l'intérieur de toi.

Et après un clin d'œil, il disparaît.

Je suis de nouveau seule, et une fois de plus pourchassée par des dragons. Je commence à en avoir vraiment assez de cette île sinistre !

Sous mes pieds, un tremblement de terre ouvre un nouveau gouffre. Je déploie mes ailes pour m'échapper, mais une tornade violente m'entraîne et une branche d'arbre m'assomme.

Quand je reprends connaissance, je suis dans une grotte, allongée non loin d'un feu allumé entre des pierres. Je me redresse. En face de moi, se trouve une femme âgée, avec un air digne, une coiffure très compliquée, et le long bâton taillé d'une chamane.

Elle me tend de l'eau fraîche dans une tasse de pierre.

— Bois un peu, ça te fera du bien.

— Merci.

— Je m'appelle Maya. Très peu de gens osent s'aventurer

jusqu'ici. Qu'es-tu venue cher-
cher sur Pyros, Bloom ?

Je serre les poings.

— Je veux absolument débarrasser Magix du sorcier Valtor.
Mais pour ça, je dois devenir
plus forte que lui.

— Je vois que tu es vraiment déterminée. En fait, je t'observe depuis que tu es sur Pyros. Tu as déjà beaucoup progressé. Il te reste cependant un apprentissage à faire...

Chapitre 7

Ce que Bloom ne sait pas

Cela fait maintenant plusieurs jours et plusieurs nuits que Timmy tente d'entrer en contact avec la jeune fille qu'il aime. Quelque part dans le ciel, le localisateur satellite balaie toute la dimension magique à sa

recherche. Mais l'écran d'ordinateur reste vide. Aucune trace
de Tecna nulle part.

Dans la chambre des Spécialistes, Sky, Brandon et Riven
dorment profondément. Les
yeux de Timmy papillonnent, il
pose sa tête sur son bras, et il
sombre quelques minutes dans
le sommeil. Il est si fatigué !

Brusquement, une petite
lumière rouge apparaît à droite
de l'écran.

— Attention... Attention... dit
une voix très lointaine.

Timmy se réveille en sursaut.
Quelqu'un tente d'entrer en

contact avec lui ! Et cette voix...
C'est celle de Tecna !

Vite, il affine les paramètres,
afin d'entendre plus clairement.

— Attention, ceci est une
transmission en provenance
d'Oméga. Vous me recevez ?

— Réveillez-vous, les gars ! hurle Timmy en continuant ses réglages. Tecna savait qu'on n'abandonnerait jamais nos recherches ! Elle essaie d'entrer en contact avec nous !

Un peu ahuris, les garçons viennent le rejoindre devant l'écran. Tecna est vivante ! Eux n'y croyaient pas. Mais c'était Timmy qui avait raison !

Sous les yeux de ses amis fascinés, Timmy perd le signal, le retrouve et le perd à nouveau.

— Oh non ! s'exclame Brandon, atrocement déçu.

— Ce n'est pas grave, dit

Timmy. J'ai eu le temps de la localiser. Je sais exactement où elle est sur Oméga.

— Comment a-t-elle fait pour survivre dans cet univers glacial et hostile ? s'interroge Sky, stupéfait.

— N'oublie pas qu'elle est très intelligente !

Timmy se lève enfin de son siège et laisse éclater sa joie.

— Tiens bon, Tecna ! On arrive !

La même nuit, Valtor revient de la planète Zen. À son arrivée à la Tour Nuage, il est accueilli par les Trix.

— Valtor, tu as une mine resplendissante ! s'extasie Darcy.

— Je me sens mieux, approuve le sorcier. Je vous ai même rapporté des cadeaux.

Grâce à une formule magique,

il habille instantanément Icy et Stormy de capes à pois jaunes et orange.

— Berk ! s'écrie Stormy.

— Ces couleurs pastel sont hideuses ! proteste Icy.

— Et pour toi, Darcy, poursuit Valtor, voici un bracelet magique qui te protègera de l'énergie négative. Je me suis dis que tu en avais bien besoin, avec ces deux-là.

Il désigne Icy et Stormy qui sont vertes de rage : à elles, il leur offre des présents ridicules, et à leur sœur, quelque chose de beau et d'utile à la fois !

Sans leur prêter attention, Valtor s'assoit en tailleur, les doigts arrondis, en position de yoga. À la stupéfaction des Trix, il commence à méditer !

— Tu cherches la paix intérieure ? se moque Icy.

Un rictus apparaît sur le visage du sorcier.

— La méditation va m'aider à optimiser tous mes pouvoirs magiques... Rien ne pourra plus m'arrêter !

Il se met à ricaner.

— Pour augmenter sa puissance, Bloom est partie sur

Pyros. La petite idiote ! C'est un endroit très, très dangereux...

Darcy comprend aussitôt ce qu'il veut dire :

— Tu as raison... Là-bas, les dragons sont aussi féroces qu'imprévisibles !

Chapitre 8

Un nouvel Enchantix

— Il y a en toi une énorme colère contre Valtor, Bloom. Mais tu possèdes aussi une belle énergie positive. Tu dois simplement apprendre à concentrer ta colère sur ton objectif. Et sans perdre contact avec ton énergie positive. D'accord ?

— Euh, oui, Maya. Mais comment ?

— Avec un peu d'entraînement, tu devrais y arriver.

La prêtresse commence par faire apparaître dans le ciel des cercles de lumière.

— Trouve en toi la force et vise à l'intérieur.

Lorsque j'y suis parvenue, elle me demande de soulever d'énormes blocs de pierre. En me concentrant sur ma colère, je deviens très efficace !

— Et maintenant, me dit Maya, tu vas affronter les plus gros dragons de l'île.

Quelle course sans fin, et quels combats terribles !

Mais enfin, à la nuit tombée, je triomphe : je suis devenue plus forte que n'importe lequel d'entre eux !

De retour dans sa caverne,

Maya allume un feu. Puis elle s'assoit, et me demande de l'imiter. Comme elle, je croise les jambes, joints mes doigts, et me concentre. Elle m'explique :

— Lorsque tu perds contact avec ta paix intérieure, tu peux la retrouver en méditant ainsi...

Enfin, elle me tend une petite fiole, accrochée à un ruban.

— Mets-la autour de ton cou. Elle contient quelques gouttes de la puissance magique de Pyros. Cette magie est identique à celle qui est en toi. Avec ça, ta force sera décuplée.

Elle me sourit.

— Il ne te manque plus qu'un seul pouvoir, Bloom. Lorsque tu l'auras acquis, tu pourras repartir à Alféa, retrouver tes amis.

Je n'ai même pas le temps de me demander de quel pouvoir elle parle. Dans le ciel, surgissent les Trix ! Bien sûr, elles m'ont repérée et elles foncent sur moi !

Après plusieurs échanges de sortilèges, Icy réussit à m'emprisonner dans un gigantesque bloc de glace. Mais en moi, la force du dragon est devenue si puissante que la glace fond tout de suite !

Les Trix sont furieuses. Et moi aussi ! Je repense à tout ce qu'elles nous ont fait subir, depuis que je suis à Alféa ! Et à tout le malheur que provoque leur maître, Valtor !

Je sens le feu du dragon prendre en moi de plus en plus de puissance. Je concentre son énergie, comme j'ai appris à le faire avec Maya. Et soudain, je sens mon corps se transformer ! Une lumière très vive m'irradie ! Des ailes extraordinairement légères et scintillantes poussent dans mon dos ! Et je vole dix fois plus vite qu'avant !

Les Trix ont beau déchaîner tous leurs sortilèges sur moi, ils ne m'atteignent plus. Au contraire, c'est moi qui les emprisonne toutes les trois et les fait disparaître.

Ouf ! Épuisée, je retombe sur le sol aux pieds de Maya.

— Tu as enfin acquis ton pouvoir d'Enchantix, Bloom. Tu peux être fière de toi ! Cette fois, tu es capable de vaincre Valtor.

Je pousse un énorme soupir de soulagement. Quelle succession d'épreuves ! Et comme mes amis m'ont manqué ! J'ai vraiment hâte de revenir à Alféa et de les retrouver !

FIN

Quel nouveau plan maléfique
les Winx devront-elles déjouer ?
Pour le savoir,
regarde vite la page suivante !

Bloom et ses amies sont prêtes pour de nouvelles aventures !

Winx Club 23
Le mystère Ophir

Comprenant enfin d'où viennent les pouvoirs de Valtor, Bloom en déduit que les Étoiles d'Eau, aux pouvoirs magiques, pourraient anéantir définitivement le sorcier.

En route pour la Tour Rouge, Winx et Spécialistes découvrent à bord de leur vaisseau un passager clandestin, Ophir, qui intrigue beaucoup Layla…

Les as-tu tous lus ?

Retrouve toutes les histoires de tes fées préférées
dans les livres précédents…

Saison 1

1. Les pouvoirs
de Bloom

2. Bienvenue
à Magix

3. L'université
des fées

4. La voix
de la nature

5. La Tour
Nuage

6. Le Rallye
de la Rose

Saison 2

7. Les mini-fées

8. Le mariage
de Brandon

9. L'étrange
Avalon

10. À la poursuite
du Codex

11. Sur la planète
du prince Sky

12. Que la fête
continue !

13. Alliance
impossible

14. Le village
des mini-fées

15. Le pouvoir du
Charmix

16. Le royaume
de Darkar

Saison 3

17. La marque
de Valtor

18. Le Miroir
de Vérité

19. La poussière
de fée

20. L'arbre
enchanté

21. Le sacrifice de
Tecna

Table

1. Une île terrifiante 13

2. Ce que Bloom ne sait pas 19

3. Un dragon pas comme les autres . 29

4. Ce que Bloom ne sait pas 39

5. Comment devenir un dragon 49

6. La prêtresse Maya 59

7. Ce que Bloom ne sait pas 67

8. Un nouvel Enchantix 77

Composition **Nord Compo** – Villeneuve d'Ascq

Imprimé en France par Jean-Lamour - Groupe Qualibris
Dépôt légal : juin 2009
20.20.1606.1/03 – ISBN 978-2-01-201606-4
Loi n°49-956 du 16 juillet 1949
sur les publications destinées à la jeunesse